日本一短い手紙

「涙」

本書は、平成二十二年度の第八回「新一筆啓上賞―日本一短い手紙　涙」（福井県坂井市・財団法人丸岡町文化振興事業団主催、株式会社中央経済社・社団法人丸岡青年会議所共催、郵便事業株式会社・福井県・福井県教育委員会・愛媛県西予市後援、住友グループ広報委員会特別後援）の入賞作品を中心にまとめたものである。

同賞には、平成二十二年四月一日～十月十五日の期間内に四万四二四通の応募があった。平成二十三年一月二十六日に最終選考が行われ、大賞五篇、秀作一〇篇、住友賞二〇篇、中央経済社賞一〇篇、丸岡青年会議所40周年賞五篇、佳作一三四篇が選ばれた。同賞の選考委員は、小室等、佐々木幹郎、鈴木久和、中山千夏、西ゆうじの諸氏である。

本書に掲載した年齢・職業・都道府県名は応募時のものである。

目次

入賞作品

大賞

秀作

住友賞

中央経済社賞

丸岡青年会議所40周年賞

「おかあさん」へ

なみだがあまくなるように
プリンをいっぱいたべたいな。

大賞
［郵便事業株式会社社長賞］
天池 礼龍
石川県 8歳 小学校2年

「自分」へ

ソフトの試《し》合《あい》に負《ま》けた。
ぼくはかくれて泣《な》いた。
なんでかくれたんやろ。

ソフトの第一試合は快勝!! 第二試合に惜しくも負け…。
私の前では泣かなかったのに後で聞いたら隠れて泣いたと…。
少し成長を感じた11才の夏でした。（母）

大賞

［郵便事業株式会社社長賞］

森下 昭汰

福井県 11歳 小学校5年

「お浄土の父さん」へ

坊主《ぼうず》、失格《しっかく》ですね。
父《とう》さん送《おく》る時《とき》、泣《な》けて泣《な》けて、
お経《きょう》間違《まちが》えてごめんなさい。

大賞

［郵便事業株式会社社長賞］

冨川 法道

三重県 63歳 住職

「Tくん」へ

もうなかないでください。
もういじめません。
ごめんなさい。
ほんとにごめんなさい。

大賞

［郵便事業株式会社社長賞］

浅倉　一真

滋賀県　15歳　中学校3年

「愛妻」へ

単身赴任初日《たんしんふにんしょにち》の夜《よる》、
不覚《ふかく》にも涙酒《なみだざけ》をあおってしまったなり。

大賞

［郵便事業株式会社社長賞］

菅澤　正美

静岡県　60歳　会社員

「じ分」へ

おかあさんにおこられ、
ばーばにおこられ、
じーじにおこられ、
なみだがたりないね。

秀作

［郵便事業株式会社北陸支社長賞］

横川 拓海

福井県 8歳 小学校2年

「親愛なる友」へ

泣《な》けたよ。
留守電《るすでん》に「泣《な》かないで」ではなく
「一人《ひとり》で泣《な》かないで」と残《のこ》してくれたから。

秀作

［郵便事業株式会社北陸支社長賞］

伴野 裕子

愛知県 23歳 公務員

「天国の夫」へ

残《のこ》されて、こんなに楽《たの》しいことも知《し》りました
あなた、涙《なみだ》しばらく預《あず》かっていてね

秀作

［郵便事業株式会社北陸支社長賞］

津田　和代

山口県　63歳

「ぱぱ」へ

おとこならなくなといわれる。
たまにいもうとになりたいと
おもうときもあるよ。

お兄ちゃんの素直な気持ちです。

秀作

［郵便事業株式会社北陸支社長賞］

下川　玲布

福井県　6歳　小学校1年

「小学生の弟」へ

ケンカをして私《わたし》が怒《おこ》られた後《あと》、泣《な》いた顔《かお》で勝《か》ち誇《ほこ》った顔《かお》をするのはやめなさい。

「涙を見せたら勝ち」という考えは今だけ。

秀作
［郵便事業株式会社北陸支社長賞］
小田 有香
広島県 16歳 高校2年

「辛い思いをしている人」へ

心《こころ》の中《なか》で泣《な》かないで

秀作

［郵便事業株式会社北陸支社長賞］

池本 桃衣

福井県 15歳 高校1年

「バッタさん」へ

カマキリといっしょなかごでごめん。
食《た》べられてしまったね。
ぼくもなみだが出《で》たよ。

秀作

［郵便事業株式会社北陸支社長賞］

伊東 祥吾

福井県　7歳　小学校2年

「世の男」へ

「泣《な》くな男《おとこ》だろ」
男《おとこ》ってのがそういうもんなら、
オレは一生《いっしょう》男《おとこ》になれねぇよ。

決してオカマ発言ではありません。

秀作

［郵便事業株式会社北陸支社長賞］

谷川　友基

福井県　17歳　高校3年

「夫の生徒さんたち」へ

卒業式《そつぎょうしき》、
泣《な》かずに名前《なまえ》、呼《よ》べたそうです。
帰《かえ》ってからの姿《すがた》は、内緒《ないしょ》。

秀作
［郵便事業株式会社北陸支社長賞］
四宮 亜由美
兵庫県　31歳　公務員

「目」へ

波《なみ》が来《く》るぞ～

秀作

［郵便事業株式会社北陸支社長賞］

笠川 愛都

福井県 12歳 中学校1年

「教え子達」へ

ありがとう。
定年退職《ていねんたいしょく》の日《ひ》、
『男《おとこ》は涙《なみだ》を見《み》せるな』が持論《じろん》の私《わたし》を
見事《みごと》泣《な》かせたバカ者《もの》め！

住友賞

渡会 克男
千葉県 60歳 教師

「かぶと虫」へ

だいじにしてたけどしんじゃった。
ぼくのせい？
だからほかのかぶと虫《むし》をにがしたよ。

自分の飼育方法が悪かったのでは、と泣き、自らの意志で自然に返すと言いました。
命の大切さを学べた大切な体験です。

住友賞

諏訪 俊一

埼玉県 7歳 小学校2年

「おとうさん」へ

おかあさんがね、
なお子《こ》のなみだは
おとうさんにしか通《つう》じないよって言《い》うよ。

お父さんは　娘に超あまいです。

住友賞

都筑　直子

福井県　8歳　小学校2年

「お父さん」へ

結婚式《けっこんしき》のパパへのスピーチ考《かんが》えるだけで
涙《なみだ》が溢《あふ》れる。
まだ結婚《けっこん》決《き》まってもないのにね。

住友賞

片山 育美

東京都 28歳 会社員

「神様」へ

私《わたし》には、もうしあわせ用《よう》の涙《なみだ》しかありませんので、
一応《いちおう》、お知《し》らせしておきますね。

住友賞

庄司 美貴子
千葉県 56歳 パート

「俺の涙」へ

頼《たの》む、少《すこ》しだけ待《ま》ってくれ。
今《いま》、お前《まえ》が来《く》ると、何《なに》かが折《お》れそうになるから。
なぁ、涙《なみだ》。

住友賞

相良俊

東京都　17歳　高校2年

「試合後の自分」へ

負《ま》けても泣《な》かないと決《き》めていた。
でも涙《なみだ》が…。
勝《か》ったときの準備《じゅんび》はしていなかったな。

住友賞

浅見 岳宏

埼玉県 18歳 高校3年

「妻」へ

映画《えいが》を見《み》て、涙《なみだ》ぐむ君《きみ》を心優《こころやさ》しい女《ひと》だなんて。
あれから三十年《さんじゅうねん》。
勘違《かんちが》いの連続《れんぞく》でした。

いつも新鮮な気持ちでいることができました。感謝！

住友賞

網野 博
兵庫県 教師

「涙」へ

母《かあ》さん、四十年《よんじゅうねん》経《た》った今気《いまき》づいたよ。
逝《い》く時《とき》の涙《なみだ》が
ごめんねじゃなくがんばれだったと。

住友賞

古山 伸子

青森県 54歳 主婦

「10才の姪っ子」へ

もう使《つか》い方《かた》、知《し》ってんだ〜。

住友賞

吉岡 真美

長崎県 48歳 主婦

「お父さん」へ

あんまり転勤《てんきん》しないでね。
友達《ともだち》と別《わか》れるのには、
たくさんの涙《なみだ》が必要《ひつよう》なんだよ。

住友賞

宮﨑　梨乃

北海道　15歳　中学校3年

「息子」へ

いつか感謝《かんしゃ》の涙《なみだ》に変《か》わる。
そう信《しん》じて、お前《まえ》を厳《きび》しく叱《しか》る。
俺《おれ》も辛《つら》いよ。

住友賞

木元 亮仁
北海道 44歳 教師

「母さん」へ

あの日《ひ》、あなたが流《なが》した涙《なみだ》が
今頃《いまごろ》になって私《わたし》に届《とど》きました。
ごめんね…母《かあ》さん。

住友賞

沢田 将司

岩手県 30歳 公務員

「なみだくん」へ

まだ出《で》ちゃだめだよ。
あの角《かど》を曲《ま》がったら、家《うち》が見《み》えるから。
そしたら合図《あいず》するからね。

自転車で転んで、家に帰るとちゅう。

住友賞

手賀 梨々子

福井県 10歳 小学校4年

「おじい」へ

恐《こわ》いおじいに私《わたし》が作《つく》った誕生日《たんじょうび》ケーキ、
いつも怒《おこ》ってる顔《かお》が涙《なみだ》をみせた。
孫《まご》の初勝利《はつしょうり》だ。

いつもは、自分たちを、怒っているけど、手作りケーキでおじいが泣いたときのこと。

住友賞

小川 彩音

沖縄県 17歳 高校2年

「お母さん」へ

「泣《な》いた分《ぶん》だけ強《つよ》くなる。」って、
母《かあ》さん、それ以上《いじょう》強《つよ》くならんといて。

住友賞

小田村 修平
福井県 15歳 中学校3年

「娘」へ

採血《さいけつ》した娘《むすめ》に、
「泣《な》かなかったね。」と言《い》った私《わたし》。
「泣《な》いたよ。」と、その手《て》は心《こころ》を差《さ》した。

知的ハンディの娘は、定期的に採血検査をします。忍耐強く、言葉の遅れがあり、表現力が上手ではありません。この時も「涙」を流してなかったので、こう言ったところ、心の中で泣いたよと言わんばかりに手を胸に当てました。
それに気付かぬ私は何て事と思い、表面に流さぬ涙を一筆しました。

住友賞

鈴木 洋子
茨城県 56歳

「娘」へ

叱《しか》ったはずのお父《とう》さんが
悪者《わるもの》になるので、
涙《なみだ》は反則《はんそく》です。

住友賞

為井 和則

石川県 41歳 会社員

「夏空君」へ

お日《ひ》さまが毎日《まいにち》わらいすぎてあついぞ
あついからたまには泣《な》いてよね
泣《な》きすぎないでね

住友賞

濱田 智哉
富山県 8歳 小学校2年

「サラリーマン」へ

何《なん》でみんな泣《な》かないのさ。
みんなえらいね。

住友賞

梅次　靖弘

富山県　44歳　会社員

「急死した夫」へ

戻《もど》ってきた貴方《あなた》のパソコンのパスワード。
私《わたし》の名《な》と気《き》がついた時《とき》
涙《なみだ》の種類《しゅるい》が変《か》わった。

単身赴任先で突然死した夫のノートパソコンが戻ってきました。
意味など無いことかもしれませんが、大切に思ってくれていたと信じ生きていこうと思いました。

中央経済社賞

宇波 敏江

富山県 49歳 介護士

「母国に帰った友人」へ

うるうる、すーっ、ぽろり。
ぽろぽろ、ぼろぼろ、ぱた、ぱた、ぽた。
これ、なぁんだ？

ハンガリーから来た彼女との交流を通して、改めて日本語の面白さを実感しました。

中央経済社賞

渡邉 明日香

石川県 22歳 大学4年

「のんちゃん」へ

「えーん、えーん。」
夜《よる》いつもないてるけど、ごめんね、
ぼくにはおっぱいが出《だ》せないんだ

中央経済社賞

藤田 朱威
福井県 9歳 小学校4年

「はやぶさ様」へ

七年間《ななねんかん》、満身創痍《まんしんそうい》の中《なか》、よく頑張《がんば》りましたね。

大気圏突入《たいきけんとつにゅう》の際《さい》、涙《なみだ》が出《で》ました。

中央経済社賞

西山 武人

佐賀県 78歳

「娘」へ

式《しき》の日《ひ》は不機嫌《ふきげん》で済《す》まなかった。
でもな、泣《な》けない親父《おやじ》はああなるんだ。
幸《しあわ》せにな。父《ちち》。

中央経済社賞

那須 桂

東京都 36歳 会社員

「兄」へ

駅《えき》まで見送《みおく》った。
涙《なみだ》をこらえて「じゃまたね」
次《つぎ》会《あ》える日《ひ》が来《く》るまで僕《ぼく》もがんばるから。

兄が就職で遠くに行くときのことを書きました。

中央経済社賞

二坂 廉人

青森県 12歳 中学校1年

「文科省気付厚労省様」へ

「泣《な》ける子供《こども》を育《そだ》てよう」といいますが、
思《おも》いきり泣《な》ける老人《ろうじん》も育《そだ》てて下《くだ》さい。

中央経済社賞

根本 祐一

茨城県 69歳

「息子」へ

朝鮮《ちょうせん》から日本《にほん》に来《き》て、
泣《な》いた涙《なみだ》をためたら、
小《ちい》さい池《いけ》にいっぱいになると思《おも》います。

中央経済社賞

崔 云順

奈良県　84歳　中学校夜間学級

「玉葱」へ

あの時《とき》、母《はは》を泣《な》かせた真犯人《しんはんにん》は、父《ちち》でした。
母《はは》の嘘《うそ》に付《つ》き合《あ》ってくれてありがとう。

「玉葱が目にしみるの。」と言って、台所でポロポロと涙を流していた母。
二十年経って、その涙の本当の意味が分かりました。

中央経済社賞

広沢 あゆ

東京都 25歳 大学2年

「ざりがにさん」へ

おせわをわすれたこと、かなしいきもち。まじってなみだがいっぱい、いっぱい。

昨夏、つかまえたザリガニ。大切に育て、越冬し、脱皮もさせがんばっていたのに、猛暑の中、一日水替えを忘れたら死なせてしまい、空の虫かごを見て妹と2人、延々号泣していました…。

中央経済社賞

小西 達大

福井県 6歳 小学校1年

「おかあさん」へ

ピアノのはっぴょう会《かい》、
まちがわんとひいたのに、
なんでなみだながしてたの？

丸岡青年会議所
40周年賞
多田 こころ
福井県 7歳 小学校2年

「おとうさん」へ

えきでなかないよ。
だからおねがい。
パパ　わたしのたんじょう日《び》
かえってきてくれる？

単身赴任の父親への手紙。

丸岡青年会議所40周年賞

原ほのか

福井県　7歳　小学校2年

「涙」へ

キミはなんで出《で》てくるの。
くやしくてはずかしい時《とき》にかぎって
勝手《かって》に出《で》るのはどうして。

丸岡青年会議所
40周年賞

木田 優汰

福井県 9歳 小学校4年

「泣いている弟」へ

ぼくの笑《わら》い声《ごえ》は、弟《おとうと》より大《おお》きい。
でも、泣《な》いている弟《おとうと》の声《こえ》には負《ま》けてしまうね。

丸岡青年会議所
40周年賞

若月 正太朗
福井県 10歳 小学校4年

「涙もろいお父さん」へ

歯《は》が抜《ぬ》けただけで
感動《かんどう》して涙《なみだ》を流《なが》すお父《とう》さん。
私《わたし》が、お嫁《よめ》にいくとき、どうするの？

丸岡青年会議所40周年賞

横山 夢花

福井県 11歳 小学校6年

佳作

「私の涙」へ

自分《じぶん》の事《こと》で泣《な》かなくなった。
娘《むすめ》の哀《かな》しみや幸《しあわ》せで涙《なみだ》が出《で》る歳《とし》になってしまった。

井上 尚美
北海道 50歳 パート

「雨」へ

雨《あめ》は泣《な》けない人《ひと》のために降《ふ》るの?

中村 日香里
北海道 14歳 中学校3年

「自分」へ

悲《かな》しんで涙流《なみだなが》すより、
やっぱり大笑《おおわら》いして涙《なみだ》が出《で》てくるほうが
性《しょう》に合《あ》ってるよな。

漆坂 紳
青森県 16歳 高校2年

「親愛なる我・母」へ

一番大切《いちばんたいせつ》で大好《だいす》きなのに、
意地悪《いじわる》な態度《たいど》になる。
素直《すなお》じゃない自分《じぶん》に、 涙《なみだ》がこぼれた。

小田 かほる
青森県 48歳 看護師

「友達」へ

「一人《ひとり》じゃないよ。」

そう教《おし》えてくれてありがとう。

私《わたし》に流《なが》してくれた涙《なみだ》は忘《わす》れられない。

立崎 加奈
青森県 16歳 高校2年

「息子」へ

なんで泣《な》くの？

と聞《き》いた時六才《ときろくさい》の息子《むすこ》は「だって子供《こども》だもん」

涙《なみだ》が笑《わら》いに変《か》わりました。

冨田 栄子
青森県 37歳 主婦

「政勝《まさかつ》さん」へ

娘《むすめ》が生《う》まれ、
涙《なみだ》を流《なが》し何《なに》も言《い》わず手《て》を握《にぎ》ってくれた。
あたたかな貴方《あなた》の愛《あい》に包《つつ》まれて。

毛内 正子
青森県 38歳 美容業

「ラッキー（私の飼い犬）」へ

私《わたし》が泣《な》くと、
その涙《なみだ》を一心《いっしん》になめてくれるねラッキー。
愛《あい》されていて幸《しあわ》せ。大好《だいす》きだよ。

谷藤 珠実
岩手県 50歳 主婦

「娘と息子」へ

あなたたちを産《う》んでから強《つよ》くなった、
でも涙腺《るいせん》はだんだん弱《よわ》くなった。

伊藤 ノリ子
宮城県 54歳

「夫」へ

涙腺《るいせん》も、体力《たいりょく》も弱《よわ》くなったけれど
夫婦《ふうふ》の絆《きずな》は、強《つよ》くなったと思《おも》いませんか。
お父《とう》さん。

伊藤 ノリ子
宮城県 54歳

「息子」へ

「お母《かあ》さん、もう泣《な》かないで」
あなたのその言葉《ことば》が私《わたし》を未来《みらい》へと
歩《ある》かせているのです。

清水 千佳
宮城県 43歳 会社員

「孫」へ

じいじは泣《な》いた時《とき》あるかって。
雄也《ゆうや》が生《う》まれた時《とき》 涙《なみだ》いっぱいだったよ
うれしくて。

髙野 善造
宮城県 68歳 自営業

「母」へ

命《いのち》に期限《きげん》がある事《こと》よりも、
お互《たが》い涙《なみだ》をこらえる方《ほう》が、
辛《つら》かったですね…母《かあ》さん。

田村 敏子
宮城県 44歳 臨時職員

「亡母」へ

夕焼《ゆうや》け空《そら》。
母《はは》のにおいがした。切《せつ》なく暖《あたた》かい。
一瞬《いっしゅん》母《はは》の胸《むね》に抱《だ》かれて泣《な》いた……

阿部 玲子
山形県 51歳

「三人の娘」へ

長女《ちょうじょ》 受験《じゅけん》で泣《な》くな
次女《じじょ》 スポ少《しょう》で泣《な》くな
三女《さんじょ》 ほら鬼《おに》だ 泣《な》け！

斎藤 圭
山形県 43歳 地方公務員

「生まれたばかりの我子」へ

涙《なみだ》がポロポロポロン。
いつまでもポロポロポロン。
ウレシ涙《なみだ》いっぱい。母《はは》になれた喜《よろこ》びで

村山 朝美
山形県 28歳 看護師

「愛する夫」へ

「道中《どうちゅう》、事故《じこ》に遭《あ》いませんように。」
祈《いの》りながら握《にぎ》るおむすびに
涙《なみだ》がぽたんとしみこんだよ

遠藤 寿美子
福島県 53歳 教師

「お母さん」へ

叱《しか》られても泣《な》かなかった
抱《だ》きしめられたら あふれた
ずるいよお母《かあ》さん

舟橋 優香
茨城県 16歳 高校2年

「涙」へ
人前《ひとまえ》に居《い》るときは出《で》ないで下《くだ》さい。

茂木 日和
茨城県 15歳 中学校3年

「父」へ
大変《たいへん》長《なが》らくお待《ま》たせしました。
嫁《とつ》ぐ娘《むすめ》に流《なが》す涙《なみだ》。

斎藤 好美
栃木県 46歳 公務員

「娘」へ

お前《まえ》が書《か》いた父《ちち》の日《ひ》の作文《さくぶん》。
困《こま》ったもんだ、
お前《まえ》に泣《な》かされるとは思《おも》わなかったよ。

塚越 錦一
群馬県 47歳 公務員

「亡き夫」へ

あなたの置《お》き土産《みやげ》
沢山《たくさん》の涙《なみだ》 沢山《たくさん》の寂《さび》しさ 沢山《たくさん》の自由《じゆう》を
持《も》て余《あま》している今日今頃《きょういまごろ》です。

中林 ふじ子
群馬県 62歳 主婦

「わが家族」へ
お父《とう》さんだって　時々《ときどき》
トイレでしくしく独《ひと》り泣《な》くことが　あるんだよ

安原　輝彦
埼玉県　53歳　地方公務員

「闘病中の私」へ
涙《なみだ》は心《こころ》のお洗濯《せんたく》。
我慢《がまん》しないで、どんどん流《なが》せ！

川田　恵理子
埼玉県　38歳　主婦

「未熟な新米妻を持つあなた」へ

おかず完成《かんせい》の瞬間炊飯《しゅんかんすいはん》を忘《わす》れたと気付《きづ》く。

「炊《た》く間《あいだ》ゲームしよ。」

優《やさ》しい笑顔《えがお》に感謝《かんしゃ》の涙《なみだ》。

川口　美紀
埼玉県　33歳　主婦

「天国の母」へ

悲《かな》しい日《ひ》は涙《なみだ》を電話《でんわ》にして、あなたの声《こえ》を聞《き》く。

これは私《わたし》の大切《たいせつ》な、大切《たいせつ》な「癖《くせ》」。

清水　まさ子
埼玉県　59歳　主婦

「いもうとのさくら」へ

すぐなくさくら。
もうすこしがまんして。
ゆいちゃんだってがまんしてるんだから。

清水 結花
埼玉県 6歳 小学校1年

「お風呂さん」へ

ときどき涙《なみだ》の顔《かお》で もぐってごめん。
でも君《きみ》はいつも温《あたた》かい。

野上 晶子
埼玉県 51歳 主婦

更年期突入《こうねんきとつにゅう》！
メールで励《はげ》ます長男《ちょうなん》
冷《ひ》えピタを貼《は》ってくれる二男《じなん》
初《はつ》ゴミ出《だ》しの夫《おっと》（涙《なみだ》）

山本 玲子
埼玉県 50歳 主婦

「チュン」へ
空《そら》をとんでる？
おかあさんは、土《つち》にかえったんだよといった。
おもいだすとないちゃう。

松岡 柚
埼玉県 8歳 小学校2年

「妻」へ

君《きみ》は言葉《ことば》より涙《なみだ》で伝《つた》える方《ほう》が上手《うま》いと思《おも》うんだ。
十年《じゅうねん》も一緒《いっしょ》にいるけれど…。

斎藤 佳之
千葉県 37歳 会社員

「せみ」へ

「ミーンミーンミンミンミン。」
およめさんをさがすために
なみだをながすこともあるのかな。

櫻井 敬太
千葉県 7歳 小学校2年

「涙の行きつく場所」へ

涙《なみだ》は、さんずいに戻《もど》ると書《か》く。
いったいどこへ戻《もど》っていくのか教《おし》えてほしい。

山下 真樹
千葉県 33歳 パート

「だんなさま」へ

あの時《とき》、泣《な》きながら
離婚届《りこんとどけ》を破《やぶ》ってくれてありがとう。
そう言《い》える今《いま》、私《わたし》は幸《しあわ》せです。

伊藤 ひろみ
東京都 主婦

「亡母」へ

喪主《もしゅ》として棺《ひつぎ》に花《はな》を納《おさ》めた時《とき》
涙《なみだ》の私《わたし》に微笑《ほほえ》んでくれたね。
今年《ことし》もあの日《ひ》と同《おな》じ暑夏《しょか》です。

及川 廣子
東京都 63歳 公務員

「怒ってばかりの私」へ

子供《こども》が寝《ね》た後《あと》に反省《はんせい》して涙《なみだ》するくらいなら
笑《わら》って育《そだ》てろ。
でもこれが難《むずか》しいんだよね。

大﨑 智子
東京都 43歳 主婦

母《かあ》さんの　手紙《てがみ》　絞《しぼ》ったら
涙《なみだ》がポタリ　ポタリ…
本当《ほんとう》の文字《もじ》が見《み》えました。

岡西　通雄
東京都　66歳

「（被爆者）佐々木貞子さん」へ
貴女《あなた》の折《お》った千羽鶴《せんばづる》は、
皆《みな》にくやしさと悲《かな》しい涙《なみだ》を沢山《たくさん》伝《つた》えています。

小川　皓己
東京都　13歳　中学校1年

「天国のパパ」へ

これが最後《さいご》の留守番電話《るすばんでんわ》の伝言《でんごん》だと分《わ》かっていたら
消去《しょうきょ》しなかったよ。この思《おも》い、届《とど》け！

川浪　貴子
東京都　37歳　会社員

「一世一代の大仕事をするヒロ」へ

涙《なみだ》を流《なが》す準備《じゅんび》はできています。
明日《あした》は私《わたし》の誕生日《たんじょうび》。
プロポーズの言葉《ことば》は決《き》まりましたか？

菊地　園江
東京都　31歳　会社員

「泣き虫の娘」へ
泣《な》いて「かわいい」と言《い》われるのは子供《こども》だけ。
今《いま》のうちにいっぱい泣《な》いておきなさい。

菅井 由美
東京都 40歳 主婦

「涙」へ
願《ねが》います。
ドナーと成《な》った貴女《あなた》の瞳《ひとみ》が感動《かんどう》と喜《よろこ》びの涙《なみだ》で溢《あふ》れ
又悲《またかな》しみに潤《うる》む時《とき》もある事《こと》を

寺田 英宣
東京都 58歳 会社員

「一筆啓上 就職する娘」へ

お前《まえ》は涙《なみだ》もろくてすぐ泣《な》くから
厚化粧《あつげしょう》はやめなさい

西村 東亜治
東京都 67歳

「二十年目の夫」へ

「頑張《がんば》れ」が嫌《きら》いな私《わたし》だけど、
貴方《あなた》に言《い》われた「頑張《がんば》ってるな」に
何故《なぜ》か涙止《なみだと》まらない。

本田 いづみ
東京都 52歳

「遺影の中の母」へ

あ、母《かあ》ちゃん。
父《とう》ちゃんに頬《ほお》ずりされたやろ？
涙《なみだ》の跡《あと》でいっぱいや。母《かあ》ちゃんのほっぺ。

三村 伸子
東京都 45歳 自由業

「今年就職した長男」へ

どこから泣《な》いてくるのと聞《き》くと、
そこからと、玄関先《げんかんさき》を指《ゆび》さした君《きみ》。
大人《おとな》になったね。

持田 綾子
東京都 51歳 主婦

「涙」へ

あなたのことを嫌《きら》う人《ひと》もいるけれど私《わたし》は好《す》きです。
なぜならあなたは私《わたし》の心《こころ》の一部《いちぶ》だから

若生 愛香
東京都 14歳 中学校2年

「父さん」へ

大人《おとな》だって、たまには泣《な》いても良《い》いと思《おも》うよ。

幸野 菜紀子
神奈川県 24歳 会社員

「母」へ
お母《かあ》さんの辞書《じしょ》に
「涙《なみだ》」という字《じ》、追加《ついか》しておきました。
意地《いじ》っ張《ぱ》りもほどほどにね。

平岡 由喜
長野県 27歳 パート

「父」へ
私《わたし》が中学生《ちゅうがくせい》の時《とき》、
涙《なみだ》をためた目《め》で私《わたし》を叱《しか》った父《とう》さん。
手《て》を挙《あ》げられるより痛《いた》かったよ。

毛利 和美
石川県 58歳 地方公務員

「お父さん」へ
私《わたし》が生《う》まれてきた時《とき》
うれしなみだが出《で》たって本当《ほんとう》?
うそでしょう(笑《わらい》)

浅川 れいな
福井県 9歳 小学校4年

「ぼくの一ばんきらいななみだ」へ
ぼくは、きみが大《だい》きらいだ。
だっておこられた時《とき》にしか、
きみは出《で》てこないんだもん。

出雲路 康史
福井県 7歳 小学校2年

「気丈な母」へ

癌《がん》を告知《こくち》された日《ひ》、口《くち》をへの字《じ》にして、
ただ一点《いってん》を見《み》つめていた母《かあ》さん。
泣《な》けばいいのに。

伊藤 香代子
福井県 55歳 教師

「妻」へ

生還祝福《せいかんしゅくふく》に涙添《なみだそ》えお帰《かえ》りなさい。
袖隠《そでかく》れ娘《むすめ》にお父《とう》さんよと紹介《しょうかい》。
万感交錯《ばんかんこうさく》の日《ひ》だったね。

大西 悟
福井県 95歳

「まま」へ

まま、なみだはいろいろあるけどわたしは、
まだかなしいなみだしかでないよ。

おかくら さゆり
福井県　8歳　小学校2年

「勉強」へ

ぼくのやりかた　なんであかんのかなあ。
さいごにめから　水《みず》でてまう。

海 幹明
福井県　7歳　小学校1年

「しゅくだい」へ

すぐに、あそびたいのに、
いっつもぼくのじゃまをする。ぽろぽろ

角野　友昭
福井県　7歳　小学校1年

「子供たち」へ

いいシーンになると
何処《どこ》からともなく近《ちか》づいてくる箱《はこ》ティッシュ。
あれってバレてるの？

釜谷　英美
福井県　42歳　主婦

「かあさん」へ

得意《とくい》の泣《な》きおどしであやつるのはやめてくれ。
わかってる？　おれはもう中学生《ちゅうがくせい》なんだ。

川畑 公希
福井県　14歳　中学校2年

「父」へ

おとんの通夜《つや》の日《ひ》めっちゃ雨降《あめふ》ったわ。
おかげで泣《な》いとんのばれんかったわ。ありがとう

河辺 航
福井県　16歳　高校2年

「妹」へ

妹《いもうと》の涙《なみだ》をみて気《き》づいたよ。
さっきのけんかは、
姉《あね》の私《わたし》が、がまんすべきだったのかな。

杉山 美月
福井県 10歳 小学校5年

「いもうと」へ

いおりはね、すぐなくけど、なみだが出《で》てない。
うそなきだ。

すず木 りりか
福井県 7歳 小学校2年

「おねえちゃん」へ

おこられてなくのがまんしているのに、
わらわすからやっぱりでたやん。ありがとう。

関口 大毅
福井県 6歳 小学校1年

「ぼく」へ

おこられてなき わらわれてなき なきながらなく。
きみのなみだは、わりといそがしいね。

高倉 陸
福井県 8歳 小学校2年

「お母さん」へ

心《こころ》がかちかち。耳《みみ》がつうん。頭《あたま》がくらくら。
お母《かあ》さん、ぼく、涙《なみだ》がまんできなかったよ。

橘 弥志
福井県 8歳 小学校3年

「おかあさん」へ

じゅうどうならってはんとし。
やっとかったよ。
うれしくてもなみだがでるんだね。

田辺 涼香
福井県 7歳 小学校1年

「33才で亡くなった母」へ

涙《なみだ》も流《なが》さずあなたを七才《ななさい》で見送《みおく》った娘《むすめ》は、
今《いま》では十人《じゅうにん》の孫《まご》を持《も》つおばあちゃんですよ。

塚谷 晶子
福井県 72歳

「今の自分」へ

涙《なみだ》の数《かず》だけ強《つよ》くなるって本当《ほんとう》だったら、
わたし、相当強《そうとうつよ》いってこと？

照屋 優泉
福井県 10歳 小学校5年

「おとうさん」へ

おとうさんのおしごとすごい!!
ぼくは、たかいところがきらいだから、
ないちゃうもん…

徳山 颯太
福井県 6歳 小学校1年

「おかあさん」へ

車《くるま》とぶつかって、いたいのはボクなのに、
おかあさんの目《め》になみだがみえたのどうして。

西尾 広夢
福井県 7歳 小学校2年

「お父さん」へ

一度《いちど》もあったことがないお父《とう》さん、
天国《てんごく》で泣《な》いていますか。
ぼくは泣《な》かずにがんばります

野村 悠大
福井県 8歳 小学校3年

「おかあさん」へ

田《た》んぼにおちた時《とき》いえに帰《かえ》って、
おかあさんの顔《かお》を見《み》たら、なんでか涙《なみだ》が出《で》てきた。

長谷川 莉子
福井県 8歳 小学校2年

「おかあさん」へ

今《いま》のじゅうどうでながすなみだは、よわ虫《むし》なみだ。
くやしなみだになるまでがんばるよ。

長谷川 諒
福井県 8歳 小学校2年

「強がりのお母さん」へ

おれももう10才《さい》。「目《め》にゴミが…」って、
ごまかさなくてもたまにはすなおになれよな！

八田 直也
福井県 10歳 小学校5年

「自分」へ

くそ、泣《な》くな。まだ負《ま》けてないのに。
なんで泣《な》くんだよ。あきらめたらだめだろ。

林田 晃樹
福井県 10歳 小学校5年

「クワガタくん」へ

大《おお》きくなってほしくてえさをあげたのに、
なんでゆびをはさむの。なみだが出《で》ちゃうよ。

平田 翔瑛
福井県 7歳 小学校2年

「お父さん」へ

お父《とう》さんの涙《なみだ》は見《み》たことがない。
だけどお父《とう》さんの涙《なみだ》はみたくない。

細井 大暉
福井県 11歳 小学校5年

「息子」へ

振《ふ》り込《こ》まれてたわ。
初任給《しょにんきゅう》はまだ少《すく》ないんやろう。
ATMの前《まえ》で泣《な》きそうになってもた。

牧野 久美
福井県 44歳 そば屋

「母」へ

母《かあ》さんにたたかれて涙《なみだ》が流《なが》れたよ。
でも母《かあ》さんはもっと泣《な》いていた。
ごめんね、母《かあ》さん。

南 聖紀
福井県 12歳 中学校1年

「だいすきなまま」へ

ぼくは、おにいちゃんと
なかよししてるママをみてると、
さみしくてないちゃうもん。

宮本 龍也
福井県 5歳 保育園

「お父さん」へ

父《ちち》の口《くち》ぐせは「男《おとこ》のくせに泣《な》くな。」だ!!
でもいつも泣《な》かすのは　父《とう》さんだ!!

村中　武斗
福井県　11歳　小学校6年

「がんばったわたし」へ

なみだはきもちぜんぶ。はじめての大会《たいかい》。
かっても、まけても、ひきわけてもなけたね。

山岸　夏海
福井県　8歳　小学校2年

「転校前日の自分」へ

明日《あす》の降水確立《こうすいかくりつ》は一〇〇%です。
ハンカチを持《も》っていきましょう。

山下 一
福井県 16歳 高校1年

「大切な貴男」へ

目《め》を潤《うる》ませ私《わたし》を見《み》つめる貴男《あなた》にドキッ。
なぁんだ欠伸《あくび》しただけか。
私《わたし》のドキッ返《かえ》してよ！

吉田 有雅
福井県 23歳 会社員

「弟のこはく」へ
うそなききんし！
だっておこられていつもなみだながすのは
いつもわたし。

米沢 智皓
福井県 8歳 小学校3年

「おかあさん」へ
うれし涙《なみだ》はどんな時《とき》に出《で》るの？
ゲーム買《か》ってもらってうれしかったのに、
涙出《なみだで》なかったよ

和田 悠希
福井県 8歳 小学校3年

「亜也乃」へ
女《おんな》の武器《ぶき》を使用《しよう》の際《さい》は、
くれぐれも用量《ようりょう》、用法《ようほう》を間違《まちが》えないように。

金子 弘美
岐阜県 54歳 主婦

「里芋の涙」へ
日照《ひでり》の畑《はたけ》に涙《なみだ》ほどの水《みず》も無《な》い。
男《おとこ》は里芋《さといも》に水《みず》を播《ま》く。
里芋《さといも》は喜《よろこ》んで涙《なみだ》で水玉《みずたま》をつくる。

丹羽 清吾
岐阜県 76歳

「お母さん」へ

お母《かあ》さんの昔《むかし》の話《はなし》を聞《き》いて
いっぱい泣《な》いたらぎゅってしてくれたよね。
お母《かあ》さん今幸《いましあわ》せ？

洞 舞優香
岐阜県 16歳 高校2年

「天国で暮らしているであろう父」へ

兄《にい》ちゃんの結婚式《けっこんしき》で、
母《かあ》さんってば父《とう》さんの分《ぶん》まで泣《な》いてたよ。

山形 絵美
静岡県 24歳 フリーター

七回試合終了《ななかいしあいしゅうりょう》。帽子《ぼうし》を深《ふか》く被《かぶ》り、
小《ちい》さく震《ふる》える八才《はっさい》の君《きみ》。
もう立派《りっぱ》な男《おとこ》ですね。

木原　智美
愛知県　31歳　主婦

「父さん」へ
「いい娘《むすめ》だ」最期《さいご》の日記《にっき》に書《か》き残《のこ》してくれた言葉《ことば》。
嬉《うれ》しくて切《せつ》なくて　また泣《な》きました。

野村　美佐子
愛知県　43歳　主婦

「すし屋さん」へ

わさび抜《ぬ》きって、何度《なんど》も言《い》ったのに！

松井 茅波
愛知県 20歳 専門学校2年

「神様」へ

おねがいだから、なかないでね。
明日《あした》は遠足《えんそく》なんだから。

山本 千歳
愛知県 小学校3年

「自分」へ

いじめたり知《し》らん顔《かお》したりしてるアンタ！
いっぺん自分《じぶん》がやられてみ！　やっぱり泣《な》くで。

大橋 郁美
滋賀県　高校2年

「女の武器」へ

いつまで使《つか》えるのかなあ…。

宇佐美 由紀
京都府　47歳　団体職員

「孤独だった僕」へ

孤独《こどく》はつらい。
孤独《こどく》だった時《とき》、周《まわ》りの人《ひと》が影《かげ》に見《み》えた。
その時《とき》僕《ぼく》は心《こころ》の中《なか》で涙《なみだ》を流《なが》した。

岡崎 紳
京都府 17歳 高校3年

「妻」へ

昔《むかし》はよく騙《だま》されたおまえの涙《なみだ》に。
でもそのお陰《かげ》で、今《いま》は幸《しあわ》せの涙《なみだ》でいっぱいや。

奥村 博己
京都府 56歳 会社員

「六歳の孫娘」へ

涙《なみだ》はやさしく押《お》さえてふくのよ。
こすると、目《め》のまわりだけ
早《はや》くおばあさんになるわよ。

久木 清美
京都府 57歳

「我が家の子役たち」へ

涙《なみだ》も操《あやつ》る演技派《えんぎは》。
シナリオ無視《むし》で、アドリブ連発《れんぱつ》！
母《はは》は監督《かんとく》やめて、カメラマンやるわ。

齊藤 優子
京都府 35歳 会社員

「学校の先生」へ

三者面談《さんしゃめんだん》の時《とき》、いつも先生《せんせい》を困《こま》らせている
僕《ぼく》の数少《かずすく》ない良《い》い所《ところ》を言《い》ってくれてうれし涙《なみだ》。

角田 光世
京都府 15歳 中学校3年

「お父さん」へ

お父《とう》さん知《し》らんやろう?
「ありがとう」って泣《な》かずに言《い》うために、
何回練習《なんかいれんしゅう》したかを。

秋山 智子
大阪府 28歳 会社員

「息子の嫁」へ

有難《ありがと》うお姑《かあ》さんと言《い》いつつ、貴女《あなた》の頬《ほほ》を伝《つた》う涙《なみだ》を見《み》た時《とき》から、嫁《よめ》から娘《むすめ》になりました。

滝口 美代子
大阪府 62歳

「自分の涙」へ

嫌《きら》いです。
だって、いつも私《わたし》の気持《きも》ちをバラすから。

樽井 みずき
大阪府 17歳 高校2年

「自分」へ
汗《あせ》は体《からだ》の温度《おんど》を調節《ちょうせつ》します。
涙《なみだ》は心《こころ》の温度《おんど》を調節《ちょうせつ》します。
嬉《うれ》しさも、悲《かな》しさも調節《ちょうせつ》します

山田 和子
大阪府 主婦

「パパ」へ
貴方《あなた》は突然旅立《とつぜんたびだ》ち翌日私《よくじつわたし》の子《こ》として
生《う》まれ二才《にさい》になりました。
ずっとつながる命《いのち》に涙《なみだ》。

石井 絵実
兵庫県 37歳 主婦

「娘」へ

離《はな》れたくないー!!
保育園初日《ほいくえんしょにち》、泣《な》いてしまったのは
あなたではなくママのほうでした。

四宮 亜由美
兵庫県 31歳 公務員

「盲目のおばあちゃん」へ

おばあちゃん。
その一言《ひとこと》でいつも笑《わら》ってくれるね。
私《わたし》はその度嬉《たびうれ》し悲《かな》し涙《なみだ》が出《で》るんだよ。

西面 優里
兵庫県 17歳 高校3年

「四歳の娘」へ

アレッ？　なみだでてないやん！

あ〜うそなきできるようになったんや。

中川 千景
兵庫県　公務員

「男たち」へ

「男《おとこ》は人前《ひとまえ》で涙《なみだ》を見《み》せるな」

と教《おし》えてくれた親父《おやじ》が泣《な》いた。

額《がく》の中《なか》の母《はは》が笑《わら》っていた。

平田 善明
兵庫県　53歳　会社員

「転勤一年目の彼」へ

いつも電話越《でんわご》しでは、唯一《ゆいいつ》の武器《ぶき》も使《つか》われへん。
今度《こんど》の連休《れんきゅう》、会《あ》いに行《い》ってもいいかな？

松波 里恵
兵庫県 29歳 会社員

「お父さん」へ

映画《えいが》を見《み》ている時《とき》
先《さき》に鼻《はな》をすり始《はじ》めないでください。
音《おと》が聞《き》こえないんですけど。

米村 友恵
兵庫県 15歳 中学校3年

「友」へ
君《きみ》の時間《じかん》が止《と》まったあの日《ひ》
僕《ぼく》の涙《なみだ》は止《と》まらなかったよ。

清水 控視
和歌山県 18歳 高校3年

嘗《かつ》ては私《わたし》の涙一粒《なみだひとつぶ》にさえ狼狽《ろうばい》したあなた。
今《いま》やどんなに大泣《おおな》きしても知《し》らん顔《かお》なのよね。

中村 あけみ
和歌山 55歳 主婦

「自分」へ

泣《な》くものか泣《な》くものか
歯《は》を食《く》い縛《しば》り頑張《がんば》って来《き》たけど
もうやめよう歯《は》もボロボロだしね

秦 佳子
和歌山県 52歳 農業

「幼い頃の兄」へ

「美穂《みほ》ってすぐ泣《な》くでなぁ。」
…誰《だれ》のせいだよ！

柳原 美穂
鳥取県 17歳 高校3年

父《とう》さんには酒《さけ》で泣《な》かされ病気《びょうき》で泣《な》かされ
今《いま》はもう、笑《わら》い話《ばなし》になりました。

角森 玲子
島根県 42歳 理容師

「孫たち」へ
たくさんの、涙《なみだ》がうれしくなりました。
九十六才《きゅうじゅうろくさい》をむかえたよ。

米山 ミキ
島根県 96歳

「もう一人の自分」へ

もう、泣《な》いてもいいかなあ？

青江 栞
岡山県 15歳 高校1年

「我が子」へ

君《きみ》が生《う》まれた事《こと》に感動《かんどう》の涙《なみだ》。
人《ひと》と違《ちが》う事《こと》に悲観《ひかん》の涙《なみだ》。
出来《でき》る姿《すがた》に日々《ひび》うれし涙《なみだ》。

天野 充登
広島県 37歳 会社員

「亡くなったおばあちゃん」へ

セミの声《こえ》、風鈴《ふうりん》の音《おと》、
いつもと同《おな》じ夏休《なつやす》み。
だけど足《た》りないばあちゃんの声《こえ》。

川井 綾子
山口県 17歳 高校2年

「母（ママ）」へ

自分《じぶん》の写真《しゃしん》を見《み》て
「お母《かあ》さん、お母《かあ》さん」と涙《なみだ》する。
そんなママを見《み》て私《わたし》は涙《なみだ》が出《で》ます。

村田 みちる
山口県 58歳 主婦

「彼」へ

涙《なみだ》は品切《しなぎ》れしています。入荷予定《にゅうかよてい》もありません。
だから、別《わか》れ話《ばなし》はお受《う》け出来《でき》ません

竹田 麻以
愛媛県 22歳 アルバイト

「就職した息子」へ

職場《しょくば》はどこでも楽《らく》ではないぞ。辛《つら》くて泣《な》くな。
涙《なみだ》を見《み》せるな。辞《や》めて泣《な》かれる人《ひと》になれ。

柳原 省三
愛媛県 61歳 農業

「父さん」へ

僕《ぼく》は昨日《きのう》、
父《とう》さんが一人《ひとり》でこっそり泣《な》いていた理由《りゆう》を
少《すこ》しだけ知《し》っている。

宮本 智之
福岡県 17歳 高校2年

「難病と戦う自分」へ

心配《しんぱい》しないで。
走《はし》れるようになるよ。なんでも食《た》べれるよ。
その涙《なみだ》は明《あか》るい未来《みらい》の証《あかし》だよ

髙森 美来
佐賀県 14歳 中学校3年

「愛猫ババ」へ

拾《ひろ》い上《あ》げた時《とき》、
仔猫《こねこ》でも嬉《うれ》し涙《なみだ》を浮《う》かべるのだと知《し》りましたよ。
今《いま》ではデブ猫十六歳《ねこじゅうろくさい》。

足達 重子
長崎県

「婆ちゃん」へ

「この顔《かお》、長《なが》い人生《じんせい》で流《なが》した涙《なみだ》で
ふやけちまったんだよ」
―婆《ばあ》ちゃんいいシワしてるよ。

末吉 貴浩
長崎県 49歳 自営業

「○○小学校同窓会様」へ
君《きみ》たちの涙《なみだ》を一番《いちばん》知《し》っていたのは…私《わたし》です。
注射器《たんにん》より

吉岡 美菜
長崎県 21歳 大学4年

「愛する君」へ
君《きみ》の悲《かな》しみの涙《なみだ》、僕《ぼく》が全部《ぜんぶ》買《か》い取《と》ります。
それでウエディングドレスを買《か》ってください。

片山 功夫
熊本県 44歳

「五十年前のあなた」へ

あの頃《ころ》の君《きみ》はいじめられっ子《こ》。

でも決《けっ》して涙《なみだ》を見《み》せなかった。

それが何故《なぜ》か怖《こわ》かった。

井上直
宮崎県　66歳

どなた様《さま》ですか。真顔《まがお》で言《い》った母《かあ》さん。

今《いま》なら泣《な》かずに言《い》えるよ。

「母《かあ》さんの娘《むすめ》です。」

森のり
宮崎県　66歳　パート

「シャワーヘッド」へ

そんなに泣《な》かないで下《くだ》さい。
手《て》がすべったんです。

大宜見 結香
沖縄県 19歳 高校3年

「男子」へ

男《おとこ》は泣《な》くな、なんて勿体《もったい》ないなあ。
泣《な》いてる男《おとこ》の子《こ》ってすごくかっこいいんだよ。

西浜 章子
沖縄県 28歳 公務員

予備選考通過者名

順不同

北海道

川橋 ひろみ
志村 優次
佃 友子
成田 江莉奈
高田 咲希
佐々木 野乃子
宮崎 梨乃
打田 結衣
佐々木 花菜
菅間 奈央美
田中 美希
中村 理沙
砂原 俊志
阿部 麻菜
小川 愛理
橋本 梨恵
小田原 和也
今西 優子
西 裕美
井上 尚美
中川 さおり
三浦 玲子
池内 光紘
柳澤 康平
下川 汐理
久家 七瑛
太田 小百合
尾引 雅彦
菅原 晶吾
川村 静香

青森県

高岡 めぐみ
加藤 匠
木下 結香
松倉 龍之介
久保 玲香
山端 玄遂
佐々木 里菜
間 絵理
向井 綾乃
佐京 智哉
赤松 慎也
上原 敬一郎
三浦 町子
川村 雅幸
前田 久美
平野 好
田中 美由喜
今野 沙貴子
能登 賢治
杉本 恵子

岩手県

柏﨑 慧
白銀 絵里香
佐藤 寿美江
前川 成江
工藤 明子
山内 義廣

宮城県

寺嶋 やす子
長沢 幸子
堀越 園江
曲山 美栄子
片倉 悦子
中野 祥吾
伊藤 房江
伊勢 淳子
田村 敏子
稲垣 惠子
阿部 孝夫
山木 かえで
三浦 百合子
橋本 智子
笹川 由美子
菊地 郁恵
岩井 彩香
阿部 まりな
三浦 美月
平塚 優香
榛澤 志歩
杉山 彩音
青木 鈴奈
渡邉 翼
八巻 裕之
長岡 順子
小嶋 浩
奥山 雅治
武田 義之
佐藤 柚希絵
鈴木 和子
今野 泉

秋田県

吉田 圭佑

山形県

阿部 千秋
元木 美香
斎藤 美和

福島県

佐藤 春美
木村 光貴
田口 幸子
鈴木 直樹
根本 紀美江
大和田 硯介
塩田 恒美
五十嵐 キン
榊枝 初子
落合 武司

茨城県

辻 弘司
青木 太
小山 樹璃亜
池田 礼子
木村 みのる
舟橋 優香
松橋 由美子
薄木 博夫
立原 眞子
栗原 毅洋
小野 奨太
小野 純一
黒田 祐也
阿部 勇太
福田 マイク
赤坂 貴恵
岡野 優衣
齋藤 孝太

河村 梢
山﨑 龍子
根本 冨貴子

栃木県

髙栖 正充
岡田 早苗

群馬県

塚越 陽香
糸井 千紘
高橋 美保
細野 まゆり
高野 理子
大小原 桃香
豊永 優幸
上村 敬
住山 聡
吉田 知弘
飯田 佳祐
外處 光歩
外處 トミ
櫛渕 利恵
小柴 眞知子
前原 由美子
池田 世伊子
木村 貴美枝

埼玉県

馬渕 哲枝
小山 美佐江
鈴木 康浩
鈴木 いつみ
井上 明子
笹 幸恵
清水 正行
美濃部 美恵子
中川 恵都子
原 一樹
鷹觜 喜洋子
尾内 古今
吉原 正夫
増子 さやか
原田 聡子
斎藤 純子
野崎 はるみ
安藤 敏子
黒田 裕美子
中野 弘樹
佐藤 博
松川 靖
山崎 九市
木村 幸代
野口 芽句美
斧 宗慶
黒田 希美
金子 哲汰
玉藤 皐月
古川 智沙
濱中 千尋
山田 佳奈
松本 有加
吉田 愛実
小林 弓子
小嶋 哲泉
齋藤 未歩
石綱 ゆうみ
苅田 望
篠﨑 晴菜
石塚 祐希乃
山内 良一
宮崎 一真
政元 丈
杉本 勝
阿部 賢太郎
今富 郁弥
喜多濃 勇太

千葉県

小泉 喜代子
氏家 義一
島村 たか子
難波 健太郎
鈴木 将平
苫谷 駿
高岩 航太
叶 昌彦
田村 高子
植草 彩夏
赤松 和哉
井野 奈津美
白石 福太朗
石川 舞
野本 葉子
倉並 梨絵
山本 将司
波田野 海鈴
戸塚 真帆
齋藤 久代
深谷 啓子
江尻 幸絵
平久 信子
大野 渚紗

東京都

井坪 映子
小池 玲子
目黒 友江
五十嵐 恵美
深田 妙子
坂本 和泉
山口 ひろよ
小宮 正人
寺岡 勝則
佐藤 真由美
佐藤 陽子
田中 貴子
峯岸 聡美
鈴木 古都
中澤 見香
門叶 美智子
吉岡 安子
福田 勇
鷺 由希恵
佐藤 麻璃奈
鈴木 裕子
松丸 香織
杉山 早紀
岡田 里美
鈴木 舞香
朝倉 舞
木嶋 彩詠
松島 和輝
荒井 幹人
石渡 圭輔
牛丸 優一
曽根崎 大祐
石田 和久
伊能 裕真
近森 光雄
伊東 優大
加藤 一樹
大浦 豊
田中 裕
内山 大輔
近嵐 周平

加藤 雅己
山本 拓也
蟻田 秋穂
木村 海斗
阿部 祥枝
中村 光恵
飛田 啓貴
河辺 佳大
今川 旺子
小鹿 陽子
杉本 侑依
松原 利虎
町田 しおん
佐野 明子
加藤 菜津美
長堂 佑希
青山 矩大
山田 和子
菅野 純
鈴木 ゆかり
繁井 和歌子
渡邉 藍
井上 祐治
篠田 樹利亜
牧野 沙英子
平野 直緒
山口 綾子
齋藤 知行
齊藤 京子
岩瀬 和子
五條 彰久
谷関 幸子
櫛谷 節子
松本 美根子
中静 三千代
久保 千鶴子
奥山 和美
房園 靖子
正木 博之
天明 信
北村 理恵
有澤 志峯
高野 恵美子
森 由理子
田中 桜
福本 晃
遠藤 秀子
大石 政代
竹村 喜久子
井上 米子
丸田 知夏
児玉 鈴代
澤田 千春
深井 陽子
渡辺 愛
サーヘル グダルジ

神奈川県

飯嶋 康彰
萩原 あみ
橋本 典子
西村 秀司
青木 渉
間宮 なつき
中村 恵美子
竹島 謙一
島田 梓
五味 真紀
本田 凛
井出 愛
近藤 弓子
守屋 正平
朝山 ひでこ
今野 香奈
須釜 洋子
鈴木 邦義
小川 真澄
高田 かをる
宮本 浩子

山梨県

横森 明美
金本 かず子
広瀬 悦子
玉井 雪江
數野 悦子
平賀 一光
原 菜摘

長野県

唐沢 みつほ
宮下 小夜美
三重野 楷

新潟県

遠藤 敏碩
渡辺 みのり
桶井 悦子
森山 勉
澤田 裕子

富山県

一ノ瀬 未奈子
垣下 美和子
宮崎 ゆうか
石坂 千絵

石川県

向出 辰子
林 まゆ美
大家 麻美
菅田 栄子
西森 茂夫
白石 葉子
呉比 麻実
高山 健太
辻 京之
野田 悠馬
堀 佳苗

福井県

内藤 沙貴
金井 理歩
青山 大空
田山 治
伊藤 岳史
高村 裕介
小川 祐作
坪田 有加
房川 拓未
南 淑乃
桑辺 七穂
竹内 淳
藤田 真衣
豊嶋 未来
北川 実沙都
嶋田 唯
山口 由夏
風尾 勇侑
鳥谷部 七海
しま田 つぐ大
今田 梨々香
横山 凛花
早石 舞香
山本 健太
道見 亮誠
とよ本 れいら

石上 ななみ
北倉 萌
松田 優実
伊藤 千晴
岡本 萌
尾崎 光
川端 秀和
たはた こころ
八田 真彩
安岡 春奈
笠川 愛都
髙木 亮汰
前田 玲爾
吉田 勇人
道見 泰誠
山本 帆颯
江岸 菜央
黒田 将暉
よしだ ゆうと
佐野 詩音
金崎 夏芽
嶋田 有紀
橘野 迅渡
桶屋 陽希
清水 瑠加
東 美羽夏
高橋 竜也
尾﨑 洸太
中山 晃平
山下 柊
山口 颯太郎
山本 結生
出倉 ゆい
中野 慶吾
小島 優志
馬場 健太郎
岡林 伶奈
前田 大ご
谷川 美鈴
西川 直毅
坂本 百優
瀬尾 昂基
山田 弥風
田なべ 央芽
勝木 里奈
河畑 皓大
川谷 萌佳
髙島 幸太朗
岩本 哲也
柳原 祥
大久保 七帆
野田 彩月
野田 遥希
西宗 理恵子
川本 聖
金子 悠太郎
どうばやし あや
上田 歩実
阪井 美紀
中じま ゆりか
坪田 璃々香
大西 悟
勝見 拓哉
済藤 祐一郎
西田 怜史
藤井 創大
藤原 ひより
橋本 友李
小野田 凪紗
川上 哲平
森 千早
金貞 翔麻
青垣 歩
上中 康彰
谷川 友基
稲木 沙々良
馬場 由宇
長谷川 美波
竹阪 けん人
岸田 蒼眞
吉竹 優
古市 大和
西 秀翔
小堀 茂生
藤田 春菜
望月 伶香
杉田 翔都
篠原 啓輔
浦 翔吾
江川 弥那
中野 雄大
山田 夏子
浅妻 克哉
西村 康我
星野 佑美
いなば ゆう人
澤田 博美
奥野 擁祐
下川 まゆ
中嶋 笑美
齋藤 優奈
田中 海香子
青池 慎人
加地 理沙
水井 健太
林 美夕
滝波 京佳
丘 隆誠
斉藤 尚紀
なかじま ちさき
坂井 樹
西藤 有希
中島 星佳
辻 幸大
松尾 奏美
白浜 絵理
倉木 真也
玉村 柊馬
稲垣 慎也
小島 千幸
石場 海斗
北村 泰樹
濱川 卓
前田 紗良
柿木 玲香
長田 朋大
野田 こう星
森川 裕貴
田中 裕香
横山 潤成
加藤 まさ子
室木 允利
東 力
三野 冬人
松井 英里佳
徳本 真
川口 敬志
松永 潤一朗
にしばた あつし
高山 タケオ
村田 凪佐
高橋 茉緒
前川 好実
黒田 大樹
刀根 元
飯 祐海
松村 美緒

藤田 奈津希
林 一恵
蓑輪 とみ子
大西 悟
大西 美穂
江口 文代
永平 君子
清水 礼子
岩﨑 葵
齋藤 美紗希
朝日 光
大川 稀世
田中 志門
田中 佑歩
馬場 瑠佐
筧 友里
奥出 宇啓
中永 祐太
前田 朋香
瀧本 将司
今西 涼哉
井手 加奈子
加藤 健太
加藤 智樹
近藤 耀暉
窪田 郁也
藤井 発貴
宮﨑 涼那
谷﨑 謙信
藤田 紘希
中東 千春
川口 貴大
酒井 李佳
浜本 豊年
宮川 優
久保 佳奈美
三田村 可奈
橋詰 康二
さか本 はなと
三田村 真子
中 志輝乃
行方 真紀
大野 穂高
谷口 璃奈
小林 皆人
齊藤 皓太
近江 佑介
伊藤 舞友
寺前 理歩
明石 英輔
大木 あゆみ
浅田 麻瑛
中島 諒
八十島 あかり
宇野 成美
苅部 亮吾
ささき たつや
高木 雄大
牧野 歩
高木 ひより
和順 大
山本 かおる
青木 希望
森山 彩乃
太田 凱世
浜谷 和輝
さな田 千ひろ
宮本 桃衣
吉竹 凌

岐阜県

宮本 英治
篠原 一子
小林 孝
松井 敬介
竹林 美佐紀
佐藤 菜津
橋本 勇雅
松井 達也
西 舞子
太田 慎吾
川上 恵里奈
山口 郁美
高田 祐太郎
遠藤 朋香
井戸坂 祐貴

静岡県

森 康貴
岩本 大悟
早坂 美華
鈴木 珠莉
大澤 奈津美
天野 薫
山下 修身
奥田 芳子
落合 由美子
渡辺 とし江
篠原 慧子
山田 利治
福永 純平
秋山 節子
亦野 睦子
西原 糸
阿部 広海
内山 ちなつ
和久田 明日香
内田 大介
清水 琴海

愛知県

宮田 七海
林 絵美菜
藤田 幸男
青木 瞳
武田 夏奈
杉山 幸子
佐藤 敦子
志賀 史郎
江坂 天河
清水 陽子
江尻 温
竹内 祐司
豊住 鮎子
小川 明代
渡辺 国幸
岩城 朱里
小林 信廣
佐藤 如

三重県

沖 義裕
多湖 美妃
伊藤 良子
松川 保光

滋賀県

坂元 俊哉
渋谷 樹
和田 きらら
北田 祐己
寺田 智香
山田 佳奈
長谷 瑞紀
小嶋 健太郎
秋山 桃子
水谷 みさこ

嶋田　琢真
川﨑　岳
石田　文也
辻井　久美子
坪田　郁穂
藤田　哲男
市川　生栄
竹内　幸子
川分　康嗣

京都府

田端　みつ子
村上　由子
鎌田　葵
藤岡　由佳
笠井　敦子
原　央海
林　里美
吉田　悦子
尾﨑　咲子
林　克郎
岩本　久子
戸田　和樹
片岡　喜久子
古賀　昭良
久木　史朗
隅垣　由紀
角　いさ
太田　秀子
山脇　恵次
芳賀　美智子
前田　守康
明石　社喜
富家　八重子
伊藤　きみ香
堤　美津子
藤田　三枝子
山﨑　万紀子
小倉　ひろみ
安岡　義隆
仙波　良太
吉田　紀子

大阪府

中務　祐輔
石牟礼　幸子
島田　果歩
森田　光
井上　龍ノ介
山田　和子
米田　真介
亀井　省吾
田中　幾代
竹田　広子
新井　咲貴
中條　康子
岩谷　さち子
山口　康介
樋口　嘉代子
三枝　穂乃香
岡本　美咲
住吉　美和子
森本　幸子
滝口　勝美
岡崎　寿美
鵜飼　しのぶ
桑田　都世美
西川　千織
髙津　安正
坂本　高英
奥畑　悠樹
松田　仁美
遠藤　茜
森本　早紀
山下　翔子
増田　晃士
金山　慎太
大岩　久恵
武林　佳那恵
平田　あゆみ
岡本　亜耶

兵庫県

北原　雅與
松村　由美子
春名　祐富子
四宮　亜由美
中村　征郷
江藤　貴仁
谷口　進一
圓尾　津浪
赤木　洸士郎
吉岡　梨香子
北川　有希乃
近藤　謙
松本　修治
石原　拓馬
榎本　美紗
山﨑　淳子
宗像　重子
角田　茜
久保田　毬子
三原　里穂
清水　理江
平手　礼子
斉藤　恵子
吉本　美千代
大西　和代
佐藤　忍
吉井　知美
青木　裕子
堀　澄郎
播磨屋　友一
藤原　順子
福井　由紀
宮澤　沙菜

奈良県

篠原　智也
相和　真里奈
久保田　光翟
川添　愛
村上　匠
蔭地　美佐枝
山口　郁美
上田　富代
武野　光子
渡辺　良平
有山　優子
辰己　昌子
笹井　美憂
高塚　千裕
太田　佳生
小中　繁子
村上　三佐子
上村　孝子
中田　由美代
上田　かつみ
松田　力
濱田　紗恵

和歌山県

岡野　誠
奥野　里菜
杉村　綾香
秦　富美子
山本　すみ子
吉岡　和生

井上 千鶴
柿本 清美
玉置 優
更井 和代
城向 貴美代

鳥取県

石田 宇宙
池本 颯太
草刈 いづみ
中家 愛美
西沖 智美

島根県

黒目 光姫
若林 来留美
屋賀部 涼香
福庭 由実子
谷川 佳奈
坂本 文子
山本 善郎
山本 恵美子

岡山県

片山 美南
築地 志歩
原田 和佳
柳田 あやの
河嶋 栄子
川上 善清
横田 愛子
久本 莉彩子
上野 房子

広島県

新家 隆
原本 ふみえ
住岡 育夫
小川 郁夫
荒谷 千鶴
藤井 きょう子
岡島 絹子
陶山 法子
酒井 友紀子
寺迫 愛子
大野 年子
山根 純子
鍵本 恵子
岡島 真希
白砂 靖子
中西 亜沙子
稲岡 美紗
沖藤 衣月
中田 恵理佳
内田 奈緒
羽原 大貴
花谷 瑠美
上田 麻琴
中山 安紗美
細川 葵
栗本 千里
山本 菜月
藤井 明穂
三上 佳帆
山下 美岬
高橋 のどか
宮澤 あかね
中尾 聖奈
清水 寛大
宮地 沙也加

山口県

西田 洋明
松永 正代
坂井 加代子
小田 千鶴子
齊藤 洋子
島添 哲也
岡村 佳代
藤中 己知子
長藤 美保
河野 歩香
吉田 海愛
横江 清子
石田 理紗
伊藤 歩
河橋 亜依
村上 奈緒子
渡辺 裕子
内田 美里
岡本 祐里
石丸 匠
村上 蒼馬
宗村 侑紀
石井 愛子

徳島県

川島 裕子

香川県

長町 真衣
真鍋 マチ子
野口 健
川口 一仁
右田 貴比古
岩島 浩平
篠原 亜美
内田 梨菜

愛媛県

山田 宏行
宮田 勇
清水 瞳弥
水谷 洸哉
田中 ヤスエ
徳増 里美

高知県

宮本 泰子
川田 聡子
森木 知津子
町田 香代
林 海渡
西村 みすず

福岡県

村上 恵
山形 祐里奈
前田 剛
帆足 赳伯
清長 良樹
梶原 佳祐
濱口 隆ノ助
高松 勇磨
中村 百花
苑田 知世
中村 智美
石松 紀子
森光 裕子
待鳥 千津美
古林 美千代
梶原 マサ子
花田 千代

佐賀県

黒木 結生

甲斐 水木
田渕 安果梨
髙山 裕史
伊東 尚輝
大坪 美佐子
原 峻一郎
七浦 徹
井上 美代子

長崎県

濵崎 琴己
浦 恵津子
松本 美保子
室園 靖子
江原 あかり
髙尾 槙
曽山 登子
野中 初音
森川 享子
田中 好子
森 順子
富山 教子

熊本県

佐伯 俊
藤田 加津代
古閑 士津子
村上 恵子
米満 いのり
西川 律子

大分県

工藤 純子
大石 栄子
福岡 あかね
佐藤 加奈
桑本 風李
生野 芽依
柳井 真奈美
田中 菜穂子
岩尾 希
河面 光子

宮崎県

大岐 卓矢
宗 直人
黒木 康幸
工藤 明日美
西森 剛志
堀 順子
甲斐 博文
佐藤 イサ子
後藤 幸子
田中 玲
松田 惟怒
内村 なつき
橋口 由佳
新森 瑞綺
金丸 達也

鹿児島県

道田 道範
東 文代
堀之内 律子
石峯 貞男
徳重 葉子
徳永 久乃
岡村 京子
春野 洋治郎
森 早也子
山形 幸一郎
前田 淳子
松元 兼俊
牧瀬 優衣
石堂 大次
挽地 由衣

沖縄県

小島 正樹
比嘉 誠治
識名 真林
東江 幸奈
来間 麻実
糸数 幸子

アルゼンチン

塩脇 征子

タイ

繁井 和歌子

あとがき——涙からあふれるもの

涙は悲しい時だけのものではありません。嬉しい時にも悔しい時にも、感動した時にもあふれてきます。

人生は涙で始まり、涙で終わるのかもしれません。心が揺れ動いた時に、ひとつの調整弁的役割を持っているのかもしれません。泣きたい時は涙が枯れるまでと言いますが、その後に何かほっとさせられます。

第八回、通算で十八回目の日本一短い手紙「涙」は、多くのことを語ってくれました。スタートした四月には、一通一通に悲しみが伝わってくるものが多く寄せられていました。次第に笑える涙、共感できる涙に変化していきました。

四万四二四通の涙にはあふれ出るものがありました。揺れ動く心が伝わってきました。正視することの出来ない現実を背負っているものや、悔いても悔やみきれない悲しみが伝わってきました。笑いながら泣けてくるものもありました。

こんな時代だからなのでしょうか。こんな時代だと片付けていいのでしょうか。あふれてくるものを零さないように、大切に大切に選考が進んでいきました。住友グループ広報委員会の皆さんには、この苦しみながらの選考にあたっていただきました。選ぶというより、落とす作業と言っても過言ではありません。一通一通に心が宿るのをこらえながらの時が流れていきました。

最終選考は小室等さんのまとめ役で決してスムーズとは言い難いものでした。佐々木幹郎さん、鈴木久和さん、中山千夏さん、西ゆうじさん、おつかれ様でした。今回はとてもバランスの良い作品が選ばれました。

手紙振興に少しでもお役に立てればとの思いで、郵便事業株式会社の皆様にもお世話になっています。社団法人丸岡青年会議所の皆さんには四十周年記念賞をいただきました。おめでとうございます。

坂井市丸岡町出身で株式会社中央経済社のオーナーである山本時男さんには今回からご無理をお願いし、中央経済社賞を設けていただきました。本書が上梓されたことに対してもお礼を申し上げたい。ふるさとを愛していただけることに感謝いたします。

なお、この書の編集中、三月十一日午後二時四十六分「東日本大震災」が多くの人々の命を奪うとともに、未曾有の不明者、被災者を出しています。原発の問題は日を増すごとにその深刻さをより深めています。

私も縁あって、福島原発からほど近くの一家族をお世話させていただきました。

我々一人ひとりが何をすべきなのか、心に滲みてきます。

被災者の皆さまに心からお見舞い申し上げます。

二〇一一年四月吉日

編集局長　大廻　政成

今回からこれまでの念願であった、最終選考に残った方々のお名前を載せさせていただくこととなりました。お名前だけにて失礼とは思いますが、応募いただいた方にへのささやかなお礼とさせていただきます。

日本一短い手紙「涙」新一筆啓上賞

二〇一一年四月一七日　初版第一刷発行

編集者——水崎亮博
発行者——山本時男
発行所——株式会社中央経済社
〒一〇一－〇〇五一
東京都千代田区神田神保町一－三一－二
電話〇三－三二九三－三三七一（編集部）
〇三－三二九三－三三八一（営業部）
http://www.chuokeizai.co.jp/
振替口座　00100-8-8432
印刷・製本——株式会社　大藤社
編集協力——辻新明美

＊頁の「欠落」や「順序違い」などがありましたらお取り替え
いたしますので小社営業部までご送付ください。（送料小社負担）

ISBN978-4-502-43810-3　C0095